작은 어항, 해파리 한 마리.

작은 어항,
해파리 한 마리.

Nox 지음

작은 어항, 해파리 한 마리.

발 행 | 2024년 05월 20일
저 자 | Nox
펴낸이 | 한건희
펴낸곳 | 주식회사 부크크
출판사등록 | 2014.07.15(제2014-16호)
주 소 | 서울특별시 금천구 가산디지털1로 119 SK트윈타워 A동 305호
전 화 | 1670-8316
이메일 | info@bookk.co.kr

ISBN | 979-11-410-8591-9

www.bookk.co.kr

차례

작은 어항,

해파리 한 마리.

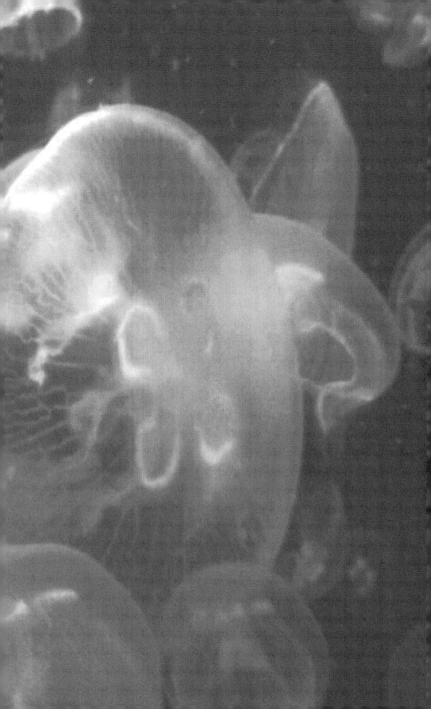

작은 어항, 해파리 한 마리.

세상은 균형을 잡는다.

어항 속, 해파리들은, 자유를 빼앗겼다.

그들에게 당한 그것들은,

삶을 빼앗겼다.

세상은 균형을 맞추려,

악에 맞춰, 그에 비례하는 선이 존재하게 하였다.

그들의 끝없는 거듭의 연유의 원천이었다.

♛

선과 악의 죄의 원천. 이것은 만남의 시작의 이야기.

그들의 만남은 머나먼 과거, 그 시작은.

그들이 만난 곳은 어느 한 무도회장. 한창 떠들썩 하던 대규모 가면무도회의 현장이었다. 선과 악은 각각이의 범법을 행한 것들이었다. 그들이 즐기던 것은 죽임과도 같은 각가지의 해학 행위들. 가장 즐기던 것은 살생, 그런 살생과 대규모 파티. 그 승자는 파티의 즐거움. 그런 즐거움을 위하여 그들은 무모하게 파티를 개최하였고, 그리고 그들은 자신의 즐거움을 찾으러 떠났다.

가면으로 신분따위의 그 존재에 대하여 감추기에, 그들에게 해악을 벌여달라고 애원하는 것이나 다름없는 행위였다. 그러니 그들이 참여하는 것은, 어쩌면 당연한 것이다.

이걸 보는 당신 또한도, 그리 생각할 수 있지 않은가.

선은 하나 둘 죽여갔다. 그들을 선의 특유의 말솜씨로 천천히 꾀어내며 옥제여, 파티장의 분위기와는 정 반대인 곳에, 사해를 쌓아갔다.

선이 죽어버린 그것들을 모은 곳은, 쓰임이 없어 조명조차 제대로 켜지지 않은 층의 한켠의 테라스. 대략 6개의 그것들이 쌓였던가, 테라스에는 자연의 빛이 아닌, 인공적인 빛이 테라스의 작은 공간을 가득히 매웠다.

선은 갑작스런 빛에 미간을 구겼고, 그 빛은 원인은 악. 그는 웃으며 테라스로 들어와 문을 닫았다. 선은 사라진 빛에 구긴 미간을 다시 폈으며, 자신에게 기대져 있는 죽어버린 그것들을 내팽개치고는 서 있는 악의 앞으로가 그와 마주보았다.

그들이 마주보고 있는 장면은, 수억원의 명화 같았다.

달빛을 받아 일렁이는 악의 눈동자와, 그런 빛을 등져 은은히 빛나며, 바람에 휘날리는 선의 머리칼. 그들은 쌓여있는 그것들의 분위기 조차도 압도하였다.

분위기를 풀며 악이 먼저 입을 열어 선에게 게임을 제안 했다. 그들에게 어울리는 살생게임을 말이다. 선은 말을 끝까지 듣지도 채 않고 수락하였고, 악은 선을 예상했듯이 무엇의 대꾸도 하지 않고서 말을 이어나갔다. 선은 차가운 그것들을 지나 의자에 앉아 웃음을 머금고서, 악의 말을 들었다.

"게임은 간단합니다. 이 회장에 모여있는 그것들을 모두 죽이는 것. 이것이 목표, 규칙 같은 것은 없습니다. 어떠신지."

그들의 대화는 점저히 기괴해져갔다. 표정 변화 하나 없는 웃는 얼굴로, 그들은 섬뜩한 대화를 이어나갔다.

그들은 게임을 시작하였고, 그들은 각자의 방식대로 회장 속, 그것들을 죽여갔다. 그들에게 회장의 그것들을 죽이기란, 개미를 밟아주기는 행위 같은 것. 그 이상도 이하도 아니었다.

회장이 성한 곳 하나 없이 엉망이 되었을 때쯤에는, 그들의 발자국 소리와, 피가 꿀렁이며 힘겨운 작은 숨소리 정도밖에 들리지 않았다. 처음 회장의 분위기 무색하도록, 죽은 듯 고요하였다.

향수 냄새와 온갖 음식 냄새, 피비린내가 섞여 자동으로 얼굴을 구기게 만들었다. 역겨운 악취는, 회장 어디에 가도 사라지지 않았다. 이런 악취까지도 얼마나 그들에게는 익숙한가. 전혀 이상해 보이지 않았다.

"내가 이겼네? 내가 너보다 하나 더 죽였다고? 아쉽겠다. 그래도 게임, 무척 즐거웠어요-! 당신도 실력이 대단하네-."

"응, 저기? 졌다고 아무 말도 안 하기야? 다음에도 또 할 거지?"

선이 조잘거리는 동안 악은 그 무엇의 말도, 행동도 없었다. 선의 말이 드디어 멈춰갈 때쯤, 그제서야 악은 차분히 입을 열었다.

"이곳의 샹들리에만 멀쩡하다라…. 무언가 이상하지 않나요? 비정상적으로 말입니다."

"게임은, 저의 승리겠군요."

선은 악의 말을 곧 이해할 수 있었다. 그들의 머리 위로 악이 짚은 샹들리에가 떨어졌고, 선은 죽어가며 생각했다. 자신은 완벽히 패했다는 것을. 그런 죽어가는 선에게 환청이 들렸다.

"이로써 게임은, 저의 승리입니다."

내가 네가 하는 건 거짓말. 그것들이 자신의 이기적인 면모를 숨기려고 입 모아 말하는 선의의 거짓말. 나도 그것들과 같아. 내 편의를 위하여, 너를 위한다는 명목으로 항상 너에게 하고 있는 선의의 거짓말. 이 거짓말을 내 입으로 고할 날은 없겠지. 너는 항상 2번째 삶을 사는 것이고, 숫자는 나만 세어가. 너는 마치 공주 같아. 무엇을 해도 사랑받지. 살생을 하여도, 너의 본질까지도 망각시킬 수 있는 존재에게 사랑받는 기분은 어떠냐 묻고 싶지만, 그것이라면 이 일 조차도 단숨에 망각시킬 수 있고, 어쩌면 나라는 존재의 무언가조차도, 크게는 나를 없앨 수도 있겠지. 세상에서의 망각인 거야. 너에게 하는 내 거짓말. 선의의 거짓말. 단지 내 면모를 숨기려는 거짓말이 아닐지도 몰라. 잊혀지고 싶지 않아. 내 삶을 위해 하는 선의의 거짓말.

언제 고할지는 모르는, 내 선의의 거짓말이야.

♟

너는 모르겠지.

내가 너를 얼마나 아끼고 있는지.

네가 내가 아닌 그것을 선택했을 때,

내가 얼마나 비참했는지.

내가 그것을 이길 일은 없는 것이,

날 더 비참하게 만드는데.

너는 영원히 모르겠지.

그것은 절대적으로 높은 존재니까.

너만 모르는 세계의 비밀일 거야.

♛

"아아, 신에게 사랑받는 아이인가?"

"넌 아무래도 신에게 사랑받는 거 같아."

"그렇잖아?"

"이런 지옥 같은 사실을 나에게만 알려주다니. 그 신이라
는 작자는 나를 완벽히 알고 있는 게 분명해. 이런 너를
나에게 붙이니 말이야. 썩 기분이 좋지 않아. 너의 첫 번
째와 내가 뭐가 달랐을까. 왜 너는 사랑받고 있을까. 너는
혹시 죄책감을 느꼈을까? 너의 그 눈에서는 그런 감정이
라고는 찾을 수 없었는데 말이야. 눈을 보면 알아. 그것들
의 내면들을 말이야. 너는 사랑받는 게 분명해. 그냥 태생
이 마음에 들었던 걸까. 부러워하는 거냐고 묻는다면 아
니야. 그럴 리가 없잖아. 신에게 받는 사랑? 존재하는지도
모르는 그것에게 사랑받는 걸 기뻐하는 게 이상한 거 아
닐까 싶어. 오히려 나를 싫어한다면 고마워하고 싶을 정
도인걸."

"아, 악…. 아파. 왜 그러는 거야……."

선의 목을 두른 악의 손에서

힘이 빠지는 일은 있지 않았다.

"아, 가여운 선."

"정말 아무것도 모르는구나."

"진실은 말이야————————

_____"

악은 손에 힘을 풀고서 선을 안아주었다.

선은 생각하기를 포기하고서, 아까까지도 자신의 목을 조르던 악에게 안겨 눈물을 흘렸다.

"우울은 해파리야."

어항 속에 있는 해파리들을 보던 선이 악에게 한 말이었다.

"하지만 이건 우울이 아니야."

선은 이것들을 '서로가 같다'라 묶는 것을, 잘 못됐다고 생각하고 있었다. 악은 그런 선의 말을 이해할 수 없었다.

"해파리는 태생부터 심장을 잃고서 그저 떠돌고, 그것과는 다르게도 사는 것에 필요한 원동력 따위는 없이 그저 떠돌아. 우울도 그래. 원심 같은 것은 없는데, 그저 무의 형태로 바다를, 특정할 수 없을 정도의 그것들의 마음을 떠도는 거야. 정말 누구에게나 올 수 있는데, 그걸 죄로 봐."

표정이 암울해진 선에게 악은 토닥이며 한 마디 건넸다.

"괜찮아, 곁에 있어줄게."

♟

선이 심심하다면서 내게 한참을 매달렸다. 어떻게 이 말을 매일 해도 질리지 않는 건지.

"체스라도 할래?"

"에? 체스는 잘 못하는데... 널 이길 수 있을 것 같지도 않고 말이야."

"나도 그리 잘 하지는 않아."

내 말에 선은 '해보지 뭐'라며 마지못해 한다는 티를 냈지만 신나하는 속마음이 훤히 보였다. '단순한 선….'

'이건 예상 밖이었는데.'

선은 정-말 못 했다. 장난으로 놀리려고 하는 말이 아닌, 못 한다고 말하기도 미안할 정도로 못 했다.

어떻게 이렇게 못하지 싶을 정도로. 잘 못하는 게 아니라, 룰을 방금 깨우친 어린이가 이거보다 잘 할지도 모른다는 생각까지 했다.

"으음… 전략이라도 알려줄게."

선은 내 반응에 수긍하며 볼을 손가락으로 글적거렸다.

"체스는 말이야. 킹만 생각해서는 안 돼. 체스 판, 그 전체를 하나라 생각하고 움직여야 해. 적당한 희생을 봐야 하고, 절대 손해만 있는 희생을 해서는 안 돼. 조금의 실수도, 헛된 걸음도 전부 독이 될 거 거든. 너무 한곳만 바라보고 걸으면, 다치잖아? 그런 거야. 체스의 말을 생명이라고 생각하는 것도 좋지만, 체스라는 게임 하나를 삶이라 칭하는 것도 좋아. 킹의 도달을 목표라 생각하고, 그 목표를 위해 저걸 희생시키고, 상대를 죽이고, 앞으로 나아가고, 무언가 뺏기고, 그러다 보면 도착해 있겠지."

"저 종착지로 가려면 어쩔 수 없어. 아무것도 희생하지 않고, 다 챙기려 했다가는 피곤해지니까. 너는 킹을 내 쪽에 보낸다기보다는, 말을 지키는 것에 너무 혈안이 되어 있어. 시야가 너무 좁아. 조금 더, 판을 넓게 봐야 해."

"슬퍼졌어…. 안 할래…"

첫 만남 때는 상상도 할 수 없었던 모습이겠지. 겨우 이런 이야기에 슬프다며 눈물을 흘리다니. 역시 그것의 사랑을 받은 네가 불쌍해. 너의 본질마저 잃어버렸으니. 감히 내가 안타깝다고 말해줄게.

"미안해, 울지 말아 줘."

♛

30년. 그들이 죽는 주기였다. 한 생에의 30년이 될 때면, 무슨 일이 일어나더라도 그들은 죽는 운명을 피할 수 없었다.

그리하여 그들이 한 약속.

"그것을 거역하자."

그들은 본인을 이렇게 만든 존재를 신이라 여기기로 하였고, 그들은 반드시 30년을 채우기 전에, 서로의 자의로 죽기로 약속했다. 작은 반항일 뿐이다.

♛

"알아? 인간은 목소리가 가장 늦게 변한대."

"어디서 주워들은 건데?"

"그냥. 지나가다가. 목소리가 가장 늦게 변한다니~! 너무 좋지 않아? 가장 늦게 잊혀지는 목소리가 늦게 변한다니 말이야. 로맨틱하지 않나?"

선의 들뜬 말에 악은 단호히 생각을 말했다.

"음. 재앙에 더 가깝다 생각해. 목소리를 잊어가는데, 그리고 그것을 회상하며 원치 않더라도 변질시켜갈 텐데 말이야. 내 생각은 움직이는데, 상대는 제자리. 뇌가 변질 시켜버린 상대의 목소리와, 진짜 목소리가 맞을 그 작은 확률조차도 가져가 버린다니. 이 망각을 뭐라 정의 가능하겠어."

"축복? 아니면 저주?"

♟

저보다 죽음에 먼저 이른 당신은 자연으로 돌아가였고, 저는 그런 당신을 찾으려 다른 일찌감치 돌아간 다른 이들을 밟고서 당신을 찾으면, 당신 위에 누워, 당신을 쓰다듬고, 느껴지지 않는 당신을 느끼고…. 그런 망상을 해가며 돌아간 당신을 기억하려 노력해 보겠습니다.

언젠가는 저 또한 그곳으로 돌아가, 누군가의 만남을 이어주는 존재가 되겠지요. 곧, 따라가겠습니다.

To 악

♟

아마 너는 모르겠지.

네가 나를 죽일 때의, 너의 표정 말이야. 너는 원망을 사려, 웃음 짓고 있지만 나만이 볼 수 있어. 너는 분명 울고 있고, 네가 억지로 올린 입꼬리는 바들거리며 떨리고 있지. 죽어가며 감겨가는 내 눈에 너의 표정이 비칠지도 모른 다 생각하는데, 아마 너의 눈물이 네 눈을 가리기를 자처해서 못 보는 게 아니라 안 보는 거일지도 몰라. 항상 유지하던 너의 표정이 일그러지는 걸 보면 무언가, 묘한 기분을 느껴. 너를 본 건 이번 생이 처음인데 말이야. 뭔가 어디선가 본 듯한 느낌인데, 뇌 어딘가에서 그럴 리가 없다며 외치는데 내가 이상한 거겠지? 너는 참 상냥하니까. 그럴 리 없는데.

네가 내 죽음을 좋아할 리 없는데.

그렇지?

숨 쉬게 하는 심장을 빼내고서, 생각하는 뇌를 빼내고서, 그것들에게서 도망치고서, 저 자신을 부정하고서 살아갈 것입니다. 흐르는 물결에 그저 얌전히 몸을 맡기고서, 그저 고요히 흘러가는 대로 저는 아무도 모르게 죽어가고 싶습니다.

그저, 흘러가는 대로….

조용히 누구도 모르게 말입니다.

♛

선은 사랑을 확인하려 카메라를 설치하고, 코트 안주머니에는 녹음기를 넣어놓고서 약을 삼켰다. 그래, 이 약은 만화 같은 약. 약 2시간가량의 시간 동안 죽음의 경지에 다른 상태와 매우 흡사한 상태가 될 수 있는 그런 마법과도 같은 약. 그리하여 선은 악을 기다리며 들뜬 마음을 가다듬고서 소파에 올라가 이불을 덮고서 몸에서 점차 힘을 빼었다. 지끈거리는 머리를 부여잡으며 선은 눈을 떴다. 선의 눈동자에는 광활한 밤하늘만이 자리 잡고 있었다. 그들을 내려다보는 달빛은 선의 눈을 부시게 하였고, 선은 자신의 살결에서 소름 돋는 바람을 느꼈고, 풀과 꽃들의 감촉을 느꼈다. 고개를 돌리니, 단정하게 정리된 끝없는 꽃밭이 눈에 드리웠다. 조금 떨어진 곳에서 악이 보였다. 선은 악에게 다가가 누워있는 악의 몸을 잡아 조심스레 일으켰고, 악의 이름을 부르기를 몇 번이고 반복하였다.

'아, 악은 더 이상 대답할 수 없다.'

악은 죽어있었다. 심장과는 조금 다른 곳에, 작은 단도가 반듯이 꽂혀있는 채로. 선은 죽어가는 악을 끌어 않고, 악의 코에 자신의 귀를 가져다 대었다. 새엑- 새엑- 악의 숨소리가 들렸다. 마치 갓난 아기의 숨소리를 듣는 것만 같았다. 악에게는 아직 온기가 남아있었다. 소름 돋는 차가운 바람 속에서도, 악은 따뜻했다. 악은 천천히 고요하게도 죽어가고 있었다. 살 수 있으리란 생각 같은 것은 하지 않았다. 없는 희망을 찾기에는, 선은 멀쩡한 생각을 할 수 없었다. 선은 차갑게 식어가는 악의 손을 잡고서 그의 옆에 누웠다. 녹음 기에서는 악의 목소리가 흘러나왔고, 선은 그런 그의 목소리를 들으며 선은 눈을 감고 또다시 생각을 하기 시작해갔다.

그렇게 선은 악과 함께 서서히 죽어나갔다.

선은 아주 오랜 시간을 누워있었다. 무수한 꽃들을, 바람을, 죽음을 느껴갔고, 그 감각은 다행히도 점차 희미해져갔다. 이제는 죽음에 정말 가까워졌다. 선의 녹음기의 배터리가 이내 꺼져버렸고, 그와 동시에 흘러나오던 악의 목소리도 더 이상 들리지 않게 되었다. 선은 마지막으로 하늘과 악의 얼굴을 눈에 담고서 눈을 감았다.

'마지막으로 그의 목소리를 들을 수 있게 해주심에,

그 운명에 감사합니다.'

♛

'아뿔싸. 망했다. 함께 자연사? 제대로 망했다. 사해 부패는 너무 느리다. 선도 기억이 있을 거다. 불행은 왜 이리 한순간에 닥쳐오는가. 내 몸이 온전치 않다. 저주라 생각할 정도로 허약한 몸으로 태어나버렸다. 이런 몸으로는, 선에게 질 것이다.'

악이 생각한 것과는 달리 아무 일도 일어나지 않았다. 선은 악의 간호를 해주었고, 악은 죽지 않으려 노력하기에 바빴다. 악이 눈치챈 특이점이라면, 선이 집에서도 목도리를 차고 있다는 점.

한 줄기의 빛도 남지 않은 새벽. 옆 침대에서 자고 있는 선에게로 가기 위해 악은 몸을 일으켰다.

장시간 누워있던 탓인가, 악은 다리에 힘이 없어 넘어짐에 링거 거리 받침대가 떨어지며 큰 소리가 났다. 악은 그러해도 어떻게든 몸을 일으켜 선에게로 가, 선이 하고 있는 목도리를 조심히 풀었다. 선의 얇고 하얀 목에는, 보라색의 줄이 보였다.

'멍인가….' 조금 유심히 지켜봐야겠다 생각하고서, 이 작은 행동에도 지친 악은 다시 침대로 가 잠을 청했다.

"으음…."

빛이 눈을 간지럽혀, 악은 작은 응얼거림을 뱉으며 빛이 들어오는 곳을 바라보았다. '아…….' 선은 블라인드 줄에 목을 달고 있었다.

"선…."

악의 쉰 목소리에 선이 놀라 악을 쳐다보았다. 선의 습관이었다. 지쳤을 때에, 줄에 목을 통과시켜 놓고서 멍을 때리며 앉아 있는 것이 말이다.

선이 매고 있던 줄에서 목을 빼내어 누워있는 악에게로 울며 다가갔다.

"악…. 악…. 아니야, 이건…."

악은 다가온 선에게 천천히 말하라며 힘겹게 손을 들어 선의 머리를 쓰다듬어 주었다.

"그니까 이건…. 내 도피처였어. 그냥 언제든 마음만 먹으면 죽을 수 있다고…. 너무 힘들어서…. 살기 위해 목을 단 거야. 미안해…. 내가, 내가…."

"…. 악?"

"미안. 내 실수였어."

악은 상체를 일으켜 선을 안아주고서는 자신의 팔에 있는 바늘을 뽑아 선의 가는 목에 찔러 넣었다. 선은 바로 의식을 잃었고, 악은 그런 선을 침대에 눕혀주고서 집에 불을 붙이고, 서서히 집을 나왔다.

"됐다…. 이제 기억을 다시 잃을 거야…."

악은 불길이 닿지 않을 정도의 거리까지 굳은 다리를 끌며, 벽을 짚고서 다가갔다. 그리고서, 악도 머지않아 죽었다. 모든 것은, 악의 계획 대로였다.

♟

나의 공허를 표하기에, 이 글자는 너무나 작고도 작고, 나의 빈 곳은, 공허는 너무나도 크며, 악이 가진 나 또한 너무나도 크다. 아마 악의 공허를 표하기에도 나는 한없이 초라하리만큼 작을지도 모른다.

악은 저의 공허이며,

저 또한 악의 공허입니다.

그리해도 저희는, 결코 서로를 채워줄 수 없다는 것을, 어쩌면 저희가 가장 잘 알고 있을 것입니다.

♛

"장기를 이식하면 그 장기의 주인인 사람의 버릇이나, 생각 같은 것이 옮겨 이식받은 사람에게서 나타난데."

"그게 진짜라 한다면 나는 네가 죽었을 때 너를 먹을 거야."

"왜? 어차피 우린 진짜여도 해당이 없는걸."

'그러면 내가 너의 생각을 이해할 수 있을까?'

'그러면 내가 그 행동을 이해할 수 있을까?'

'그러면 나도 너에게 힘이 되어줄 수 있을까?'

선의 심장에서는 물음이 나왔지만 꾸역꾸역 넣은 채 말을 삼켰다.

"음. 비밀이야."

♟

절벽에 간신히 매달려 위태롭게 내 손을 잡고 있는 악이, 이해가 가지 않았다. 악은 근력이 그리 좋지 못한다. 오죽하면 나에게 질만한 신체다. 그러니 계속 잡고 있다면 우리 둘 다 떨어질 게 분명했다.

"손을 놔줘, 악. 이러다 너도 떨어져. 어차피 다시 살아나잖아?"

악이 아무 말도 하지 않았다. 왜 아무 말도 하지 않지? 말하기도 힘들 정도로 버거운 건가? 그럼 놓으면 되는데 어째서? 물론 죽음은 무섭지만, 다시 만날 수 있는데 어째서.

"놔줘. 이제는 진짜 위험해. 제발, 제발 놔줘. 둘 다 편해질 수 있어…"

♟

위험했다. 떨어질 뻔한 선의 손을, 잘 못 놓칠 뻔했다. 몇 초
지났을 뿐인데도, 힘이 빠지려 한다. 선은 느끼지 못하겠지
만, 손이 미세하게 떨리기 시작했다. 얼마나 버틸 수 있을지
는 모르겠지만, 도저히 놓칠 수 없다. 나도 떨어질 수도 있
는 상황이지만, 그래도 놓칠 수 없다.

선이 자신의 손을 놓으라고 하는 말에 의구심이 들었다. 선
이 아닌 내 자신에게. 그렇게 나는 왜 손을 놓지 못하고 있
을까. 다시 살아난다는 말? 누구보다 내가 잘 알고 있다. 네
가 죽음의 고통을 느끼기를 원하지 않아.

네가 떨어지면 둘 다 편해진다는 말이 성사될 리가 없잖아.
바보 같은 선. 우리 둘 다 편해지는 길은 없어. 내가 너를 놓
아버린다면 나는 결코 편해질 수 없고, 내가 함께 떨어진다
면 네가 결코 편할 수 없을 거야. 내가 너를 구한다는 선택
지는 없다는 게 참 슬프지 않아?

사실 거짓말이 껴있어.

단순히 네가 죽음의 고통을 느끼지 않았으면 하는 이유만이 아니야. 다음 생의 네가 기억을 가지고서, 슬퍼할 것을 생각하면 머리가 땡해. 그런 너를 보면 난 또 무력감을 느끼겠지. 결국엔 나를 위해서, 조금 더 이기적인 방향의 나를 위해서 너를 놓지 못하는 거야. 함께 떨어진다면, 다음 생에 기억을 가지고 있을 네가, 조금은 덜 힘들 수도 있지 않을까. 아니면 죄책감을 가지고 더 힘들어할 수도 있을까.

어찌 됐든 네가 생각하는 그런 아름다운 이유는 아닐 테지.

미안해, 선.

♛

"괜찮아. 이번에는 실수였을 뿐이야."

악이 선을 위로했다.

"그것들도 실수를 한다. 또 그러려고?"

"있잖아, 실수만 하는 것도, 그 존재가 맞다 할 수 있어? 죽으면 살아나기를 반복하는 것도 맞다고 할 수 있는 거야? 나는 그렇게 생각 안 해. 마치 내가 괴물 같은 존재로 느껴져…."

"나도 너랑 같은 괴물인가 봐. 다행이네."

악이 말하고 선이 말했다.

"나랑 다른 존재가 되지 말아 줘."

"알았어, 약속할게."

♟

나는 한 조각자였고, 악은 작은 꽃집을 운영하는 내용이었다. 역시나 꿈인가, 나의 생각이 만들어낸 설정들은 나를 내 꿈의 내용에 자연이 녹아들게 만들었다.

내가 만들었다고 칭하는 것들의 작품들을 보았다. 모든 작품의 제목은 감정들을 표한 것이었으며, 그런 작품들 밑에 요약하자면 천재라며 치켜세우는 말들이 적혀있었다. 나는 내 기억에 의존하여 그것들의 기억에 맞춰 작품들을 만들어 갔다. 다행인 건가, 작품들의 모티브는 모두 악에 맞춰져 있어, 진짜 악이 아니지만 편히 할 수 있었다.

그것들은 내가 새로운 작품을 대중에게 보일 때마다 '감정이 느껴진다.' 같은 번지르르하고 그럴듯한 품평을 하기 바빴다. 헛소리 말라 해라. 진짜 악이 아닌데, 내가 그런 고귀한 감정 따위를 생각하며 작업했을 리가 없지 않은가.

아, 담고 싶었으나 실패했다에 더 가까울지도 모른다. 진짜 악이 아닌, 나의 생각이 망각과 추가를 걸치며 만들어낸 가짜 악에게, 내가 어떻게 감정을 싣겠는가.

그렇게 나는 꿈속에 그것들과, 나를 속여가며 작품을 공개했다. 감정은 들어가지 않은, 감정에 관한 작품들을….

이번은 유작이다. 이제는 죽음, 정확히는 꿈에서 깨어날 시간이 다가온 것이다. 이번 작품의 제목은 최초이자 마지막으로 감정에 관한 것은 아니다. 정말로 제목은 유작. 어느 때와 같이 대중에게 보일 감정을 담는다면, 희열, 두려움등을 표하리라. 그들에게 선보일 마지막 나의 유작에는 그들이 원하던 진짜 나의 감정을 넣어 조각할 것이다. 그럼 그들은 또 아무것도 모르면서 나를 번지르르한 말로 찬양하여 자신의 품평을 높이기에 바쁘겠지.

악을 죽일 것이다. 그리고 그런 죽은 악을 조각한다면, 악과의 소통도, 악의 몸에서의 움직임 같은 것도 없기에 진짜 악과 유사한 상태가 되겠지. 그러니 악을 죽이고서, 그런 악을 조각할 거다. 그리고 유작에 맞춰 나 또한 죽을 것이다. 나의 유작, 악의 피사체로서의 유작. 우리의 유작이다.

약을 구했다. 잠깐의 고통이 따른다 하지만, 뭐 고통스러워하는 악을 보는 정도는 감수해야겠지.

꽃을 가꾸던 악에게 약을 푼 홍차를 건넸다.

악이 홍차를 홀짝였다.

약효가 들었다.

악은 피를 토하며 느끼는 고통에 신음을 냈다.

피 냄새가 작은 꽃집을 덮었다.

악은 명을 다했지만,

악의 시선은 나에게로 향해있었다.

아, 꿈이 아니었다.

나는 악을 죽였다.

이상하다.

살생에 위화감이 없다.

주저앉아있는 선에게로 악이 살며시 다가갔다.

악은 선에게 시선을 맞춰 앉아, 선을 안아주었다.

악은 아무 말도 하지 않았다. 둘의 숨소리만이 들렸다.

선은 눈시울을 붉혔고, 선은 악의 온기를 느끼고 있었다.

그제서야 악이 입을 열어 물었다.

선은 훌쩍임을 멈추고 나지막이 대답하였다.

미흡한 악의 온기는, 선에게는 무엇보다 따뜻했다.

♟

선과의 산책 후 집으로 돌아가는 길이었다. 평소와는 조금 다른 길로 온 것이 후회됐다.

시끌벅적한 골목과, 느껴지는 익숙한 악취. 선이 관심을 가지지 않기를 바랐건만, 역시나 이루어지지는 않았다.

"가보자, 가보자~"

역시나 골목에는 사해가 놓여있었고, 신고를 받고서 올 그들을 기다리는 눈치였다.

선 또한 현장을 보고서는, 헛구역질을 하며 입을 막고서 내 소매를 잡아 골목에서 좀 더 떨어진 곳으로 나를 끌었다.

경멸한다는 듯이 보는 눈빛.

내가 한 짓이 아님에도, 괴리감이 들었다.

마음이 이상하다.

무언가를 해한 자에게선, 지독하리만큼 지울 수 없는 피 냄새가 진동한다. 이번 생이 아니더라도, 그 존재를 통틀어 살인의 경험이 있다면 말이다. 그러함에 나에게도, 선에게도.

우리에게는 피 냄새가 떠날 수 없다.

♟

.

오늘은 선과 함께 별을 보러 갈 것이다..

매번 내가 무료할 때면, 선은 항상 내 손을 잡아끌어 기어이 함께 버스를 타고서 별을 보러 갔다.

오늘은 처음이자 마지막일, 내가 선을 데리고 별을 보러 가는 것이다. 새로 짜인 영화의 극본 같았다.

선이 죽었으니, 이것은 당연한 것이다.

…. 이것은 나의 바람이었다. 선의 사해를, 나는 찾지 못했다.

그들은 나의 적. 나의 전생의 악연.

그들은 선의 사해를 숨겼다. 내게 있는 건 미약한 선의 삶.

그 미약한 선을 챙기고서, 나는 버스에 홀로 올랐다.

행복은 덮쳐와 나를 훑고서 지나가버리는 파도였다.

우울이라 칭하기도 힘든 이것은 나의 마음에 깔려있는 바다이며, 사라져서는 안되고, 많아서도 안되는 그런 폭탄이다. 나는 매일을 폭탄을 안고서 살아가고, 이런 바다에 몸을 맡기며 떠다닌다. 아. 부표인가? 무언가 나의 우울 위에 떠다닌다. 파도와 함께 찾아온 저것은 부표인가? 선이다. 행복이란 파도에 밀려 나의 우울에서 나를 건져줄. 허나, 저 부표를 잡기란 내 선택이다. 불안정한 부표다. 본인조차도, 물이 들어가 가라앉을 수 있는 불안정한 상태다. 저 부표에 다가가선 물살에 함께 바다로 가라 앉을 것이다. 심해 깊은 곳으로. 저 깊은 어둠으로.

♟

너의 한마디에 긴장이 풀렸고,

너의 웃음에 나는 따라 미소 지을 수 있었고,

너의 눈물에 나는 무력감을 느끼기도 했어.

그야, 나는 위로 같은 건 못 하니까 말이야.

나의 죄로 너와 나는 이어졌고,

너는 그걸 모른 채 나에게 의지하는 것이….

곁에 남아줘서 고마워. 원망하지 않아줘서 고마워.

잊어줘서, 고마워….

♟

그날 선은 어딘가 암울해 보였다.

"나는 극야보다 어둡다고 할 수도,

백야보다 밝다고 할 수도 없어."

"나는 그리 활발하다고도 하기 힘든 사람이고,

그렇다고 차분한 사람도 아니야."

"너랑 다르게 나는, 그냥 남들 같은 애매하고,

어중간한 그것들과 같아."

"나를 왜 만나는 거야?"

"너에 대해 알려줄게."

"너는 누군가를 잘 위로해 주고,

따듯한 존재야."

"어중간하지도 않고, 너는 너의 개성이 있지."

"너는 선이니까."

나의 상처에 덧내지 말아 줘.

내 상처에 상처를 쌓지 말아 줘.

♟

"우리는 주인공인 걸까?"

"우리는 삶에도, 이 시대에도 주인공이 아니야."

"그저 다음 세대를 위한 바탕. 밑거름 같은 거야."

"그것의 반복, 우리는 우리의 불투명한 다음 생을 위해서 살아가는 느낌이야."

별 감흥이, 사라져 버렸달까.

♟

어느 때와 같은 날이었다. 선과 먹을 음식이 떨어져 식재료를 사러 가던 중에 벌어진 살인은, 어쩔 수 없었다.

전말은 이러했다. 나도 이런 식의 리스크가 있을 줄은 몰랐다. 최악의 인연이 무엇인 줄 당신은 아는가? 바로 전 생에서의 악연을 만나는 것이다. 저번 생에서 선과 비극적으로 얽힌 인연. 바로 그전 생의 인연을 만나는 것은 이번이 처음인 것과 동시에, 중간에 갑작스레 선의 기억이 돌아오는 것조차도 모두 처음 있는 일이었고, 그 비극의 처음의 연속들은 내가 처음으로 감정적으로 살인을 저지르게 하였다.

그를 보자 선은 식은땀을 흘리고, 호흡이 가빠졌고, 온몸이 미세하게 떨리며, 잡고 있던 내 손이 아릴 정도로 꽉 지고서, 다른 한 손으로 자신의 입을 틀어막으며 눈물을 참는 선을 보고서 이성을 잃었다. 선이 이런 일을 겪어선 안된다.

해만 바라보며, 행복하게 웃고 있어야 할 선이, 꺾여버렸다.

'저자를 죽인다고 선이 나아질까?'

정답은 아니다. 이번 생은 틀렸다. 우선 저자를 죽여야겠다고 생각했다. 선이 두려워하는 것을 보고도 아무것도 할 수 없는 무력감을 느끼며 바라보기만 하는 것보다는, 죄를 느끼는 게 몇 배는 더욱이 좋은 선택이라 생각한다.

저자를 죽이고서, 선도 죽이자.

다시 시작하자.

다음번에는, 더욱더 멀리 떠나가자.

아무도 우리를 기억하지 못하도록,

죄를 늘리는 건 나 하나로 충분하다. 굳이 선이 힘들어가며 둘의 죄를 맞추려는 그런 바보 같은 짓은 안 해도 괜찮다. 나는 조금 더 살아도 괜찮다. 선은 첫 번째와는 달리, 아예 다른 인격체라 봐도 되었다. 선은 나와는 달리 태생부터 그러지 않았다. 선의 환경이 문제였다. 그 증거로 선은 죄를 지으면 죄책감을 보란 듯이 느끼고 있지 않은가.

그러니 피를 묻히는 건 나 하나로 족하다.

선을 내 손으로 죽이는 것이 몇 번 째인가.

죽음에 다 다뤘을 때에,

시야가 어두워졌다.

'아, 드디어 삶의 끝인가?'

행복은 잠시였다.

어둠에 빛이 오고, 나는 눈을 찡그렸다.

악의 얼굴이 보였다.

악은 언제나 같은 다정하지만 낮은 목소리로,

나에게 말을 걸어왔다.

"깼어?"

이 다정한 한마디가,

나의 현실을 일깨웠다.

잠시나마 좋았던,

한여름 밤의 꿈.

xxxx년, 해가 쨍하던 여름의 어느 밤.

작은 어항, 해파리 한 마리.　61

♛

그들이 다가가니,

파도가 물러났다.

파도는 그들의 이야기를 들었고,

그들이 서있는 모래사장의 모래와,

이들에 의지해 놓여있는 조개도, 소라도,

모두가 그들의 말을 들었다.

이들은, 그들의 죽음에는 아무 생각이 없음에도,

들어내지 못하는 죽기 싫은 마음에,

그들이 잡는다고 단정 지어 생각해 보는 거다.

내가 죽지 않기를 바라는 이가 있는 것이,

얼마나 좋은 일인가.

가식으로 둘러싸인 그것들에겐 바라기란,

참으로 어려운 것이기에.

♟

해가 쨍한 것도, 비가 오는 것도 아닌 애매한 날.

기분이 좋지도, 안 좋지도 않은 그런 날.

꽃이 만개하지도, 아직 펴기 전도 아닌 시기.

이런 날이 지속되면 무지개도 모습을 보이지 않겠지.

무지개는 가당키나 한가, 해도, 달도 모두 모습을 숨기겠지.

삶의 끝이 사라졌으니, 영원한 무료밖에 남지 않았어.

그렇다면 나는,

가장 먼저 죽음에 이르기를 초례할 거야.

♛

"사랑과 미움은 반의어 아니야?"

선의 어이없다는 듯한 물음에 악이 답했다.

"뜬금없네. 음. 애증?"

악은 고개도 돌리지 않고 책에 글씨를 바라보기만 하였다.

"응, 애증."

"지금 읽고 있는 책 주인공이, 애증에 가까워."

"상대가 미움받을 짓이나 하고 있지만, 주인공은 그래도 사
랑만 하고 있거든. 놓칠 수 없는 인연인 것을 알고 있는 거
야. 아무리 미워도, 결국 사랑할 수밖에 없는 운명인 거지."

"그래도, 난 역시 이해가 가지 않아."

"모순적이야."

"여전히?"

"여전히."

"우리가 서로가 미워도,

결국 의지할 곳 없어 다시 돌아오는 거."

"그런 거라 생각해."

'너는 나에게 애증을 품은 적이 있었지.

기억은 없을 테지만.'

♟

감퇴하는 기억력.

원하지 않던 축복의 망각.

신이 준 유일한 축복이자 저주가 공존하는 망각.

내가 선에게 준 망각은, 축복일까, 저주일까.

나는 선에게 신인가 악마인가.

내가 준 것이, 부디 저주는 아니기를.

♛

선을 먼저 떠낸 악.

정말 흔한 일이었다.

악은 항상 선이 죽고서 사해도, 선이 남긴 물건도,

모두 제 손으로 태우곤 하였다.

선의 흔적은 다음 생의 기억의 원천.

악은 이번에도,

선을 태웠다.

악은 항상 원하지 않았다.

선이 몇 번을 다시 살고 있는지 아는 것을.

악은 항상 선에게 거짓을 고했다.

우리는 2번째 생이라고, 나도 기억이 없다고.

항상 같은 거짓말을 고했다.

그럼 선은, 항상 설레하며 웃었다.

그것의 반복.

♟

너는 단순하디 단순한 해피엔딩을 좋아한다.

그저 행복하게 살았답니다. 같은 단순해서 그런 걸까.

나는 역시 세드엔딩이 좋다.

해피엔딩은 무언가, 나를 비참하게 만든다.

그리고 우리의 결말은,

해피엔딩이 될 수 있을 리 없다.

👑

"우리 있지. 다음 생에는 바다에 함께 가자."

"좋을 때까지 잠을 자고서, 먹고 싶은 걸 먹고, 바람을 느끼고, 함께 같은 음악을 들으며 바다에 가자."

"반짝이는 모래사장을 함께 걸어보고, 어린아이처럼 유치하게 모래 성도 쌓아 보자."

"저녁에는 모두를 홀릴 거 같은 밤바다를 함께 보며, 술을 마시고, 서로 취해가지고 시답잖은 얘기를 하며 웃고 떠들자."

"행복사를 하자. 정말 행복해서 죽자."

"함께 그 바다에 뛰어들어서, 천천히 가라앉자."

"네가 원한다면. 그러자."

♟

네가 눈치채지 않는 한에는, 너의 세상은 밝은 꽃이 만개하여, 무엇보다 아름다우며, 햇살조차 그런 곳과 너를 밝히 비춰주며 꾸며주겠지.

네가 모른다면 말이야.

너의 세계에는, 우리가 처음 만났을 때의 인연, 그러니 너를 죽인 나도, 살생을 한 나도, 나처럼 살생을 한 너도, 네가 죽인 그것들도, 우리들이 죄였을 때도.

전부 존재하지 않겠지. 내가 변하지 않았다 하면, 너에게는 나라는 존재 자체도 없는 거일 거야. 아무래도 너에게 나는, 없는 것 같아. 그렇지? 걱정 마, 당연한 일인 걸. 내가 네가 모르도록 그렇게 감추고 있으니까 말이야. 네가 절대 몰랐으면 하거든. 뭔가 모순되지 않았나. 내가 언제부터 남을 생각했다고 말이야. 아, 이건 나도 모르겠어.

………. 모르는 건 죄일까?

모르고 싶어 하는 건 죄일까?

모르게 하는 것은 죄일까?

그렇다면 나는 죄인 걸까.

그렇더라 해도 걱정 마.

모든 죄는 내가 떠안을게.

네가 나를 죽인다 하더라도 말이야.

♟

네가 죽는다면,

나는 너를 바로 따라갈게. 너는 겁쟁이니까.

내가 죽는다면,

밥을 절대 거르지 말고, 그것들을 피하지 말고,

자책하지 말고, 아무것도 하지 않고 있지 말고,

그저 평소처럼 살다가 와줬으면 해.

아주 잠깐만.

오랜 시간 말고, 정말 잠깐만 나의 죽음을 슬퍼해줘.

♟

그래, 스무 번째 정도의 삶이었던가.

그때의 일이다.

죽기 전 눈물 날 뜻이 애틋하게 나를 기억하고 싶다는 선의
말을 듣고서, 차마 선의 사해를 태울 수 없었다.

우리는 다시 태어나고, 둘 다 기억이 있는 채로 만났다.

선은 울었다.

목이 쉬어 소리가 나올 때까지, 지쳐 쓰러질 때까지

울고, 울고, 계속 울었다.

선이 그 아픔을 그만 느꼈으면 하였지만,

선은 나와의 대화도, 눈을 마주치기조차도 원치 않아 했다.

선이 내게 말했다.

"아무것도 모르잖아. 처음부터 나에 대해 생각해 보려 한 적은 있어? 왜 멋대로 행동한 거야? 같이 짊어질 수 있는 건데…. 왜 다 네가 결정한 거야?" 이 말을 끝으로, 선은 나에게 아무 말도 하지 않았고, 다시 눈길을 걷은 채로, 또다시 울고 지쳐 잠들기를 반복했다.

선의 울음을 며칠을 들었을 때에는 나도 지쳐갔다. 내 선택이 너무 안일했다. 이제는 어쩔 수 없다. 나는 마른침을 삼키고, 눈물을 머금고, 울다 지쳐 잠에 든 선에게 다가갔다.

그리고서 선을 내 손으로 죽였다.

나는 차가워져 가는 선을 안고서, 소리를 죽이고서 울었다.

선의 사해를 내 손으로 또 한 번 불에 태웠다.

불이 따뜻하다. 저 불에 뛰어든다면, 다음 생에는 너도, 그리고 나도 기억이 없겠지. 그럴 수는 없다. 우리는 의지할 곳이 필요하다. 그러니 나는 기억을 가지고 있어야 한다.

다시는 이런 미련한 짓을 하지 않겠다 다짐하고,

나 또한 선을 따라 죽었다.

다음 생에서부터는, 다시 행복할 거야.

'…. 여긴 어디일까?'

일어나 보니, 나는 낯선 장소에 누워있었다.

내가 눈을 뜬 곳은 푹신한 침대, 창에서는 흰색 블라인드 사이사이로 눈이 찡그려질만한 햇볕이 따뜻하게 들어오는 곳이었다. 분명 처음 보는 곳인데도, 몸은 적응했다는 듯, 그리 낯설지 않았다.

'아무도 없는 건가?'

누군가 있는지 살피려 몸을 세웠지만, 밀려오는 현기증에 다시 침대에 털썩하고 앉고 말았다. 이 어지러움이 사라질 때까지, 나는 앉아서 생각을 해보기로 했다.

이상하다. 그 무엇도 기억나지 않는다. 내가 의식을 잃기 전, 무엇을 했는지도, 나는 누구인지도, 나의 존재도 말이다. 기이한 일이다. 내게 남은 기억은 내 이름.

어떻게 이름인지 알았냐고 묻는다면 할 말이 없다. 사실 이 것이 이름인가도 잘 모르겠다. 그저 머릿속에는 '선'이라는 한 글자 만이 떠올랐다. 이름이라기엔 조금 이상하지만, 보통 이럴 때 생각나는 건 이름이 아닐까.

"따- 따- 따-…."

도어락 비밀번호를 듣자, 안개가 걷히는 곧장 시선을 가로 세우던 노이즈가 사라졌다. 마치 마법이라도 건거 같았다. 시선이 걷힘에 기쁨도 잠시, 두려움이 몰려왔다. 저 문으로 누가 들어올까. 집주인일까? 집주인과 나는 무슨 사이인가. 엄청나게 무서운 그것들이 들어오면 어떡하지? 별의별 걱 정이 다 들었다. 기이한 일 투성이다. 내 머리와 심장은 따 로 놀고 있었다. 마음 깊숙한 곳에서는, 알 수 없는 안도감 과 안심이 피었다.

정말 예상을 빗나갔다. 들어온 존재는, 나보다는 조금 더 키가 큰 듯하였고, 아름다움이 묻어나는 흑발이었다. 한순간홀린 듯 문만을 멍하니 바라보았다. 그 존재도 나를 멍하니 바라보았다.

"선…!"

그 존재는 나를 선이라 부르며 급히 신발을 벗고 나에게 달려와 나를 안았다. 아무래도 선은 내 이름이 맞았나 보다.

이 존재에게 대충 상황 설명을 들었다. 우리는 반복되는 생을 살게 된 것 같다고, 자신 또한 이번이 처음 인터, 단지 조금 더 빨리 일어나 나갔다 와본 것이라고 말했다. 나와 다른 것이 있다면, 나는 내 이름이었는지도 모르는 선이라는 글자 하나만 생각났지만, 이 존재는 자신의 이름인 '악'과 내 이름인 '선'을 모두 알았다고 말했다.

나 혼자였다면 두려웠을 게,

조금은 괜찮아졌다.

악은 따뜻한 사람으로 보였다.

혼자가 아님에 감사한다.

잠시 내 환상에 빠져 산 대가는 참혹했다.

잠시 회피하여 행복하려 한 것이,

그리 큰 죄였던가.

잠시 현실을 망각하려 한 대가는,

잠시나마 선에게서 벗어나려 한 대가는,

다시는 겪고 싶지 않을 만큼 참혹했다.

♛

이부자리를 펴 누워있던 선이 물었다.

"내가 죽으면 슬퍼해 줄 거야?"

그들만의 규칙을 건드린 것이, 악의 심기를 건드린 모양에
선은 아차 싶었다.

자신의 자리 위에 앉아, 벽에 기대어 책을 읽던 악이 답했다.

"원한다면 같이 가줄게."

선은 잠시 고민했다.

"그래도 역시 간다면 혼자 가는 게 났겠어."

악이 읽던 책을 덮고서 선을 마주 보았다.

"불 끌게."

"…응. 고마워."

"잘 자."

[선 - 투병]

[악 - 동반 자살 시도, 무사 사망.]

책상에 악의 필체로 쓰여있는 메모였다.

그냥저냥 지나가던 생에 본 문구였다.

"만남에는 무엇을 가정해야 하나."

당연히 비슷한 줄 알았는데, 악은 전혀 다른 말을 했다.

"함께 영원할 것이라 기약하고 만나야지

"이별을 염두하고 만나는 편이 좋지."

우리는 한동안 서로를 바라보다 잠에 들었다.

♛

1. 서로 이외의 다른 인연을 만들지 말 것.

2. 되도록 눈에 띄지 말 것.

3. 이전 생의 언급은 자제할 것.

4. 유서, 유품 등을 남기지 말 것.

4-1. 서로의 죽음을 슬퍼하지 말 것.

강조되어 있는 4 번째 규칙.

우리의 무모한 초반 때의 어리석은 짓으로 생겨난,

절대적 규칙이었다.

♟

모르게 죽여가고 있었다.

바로 옆 선도 모르도록,

나를 죽여가고 있었다.

나만이 알고 있다.

자살이 아니다.

나에 대한 암살인 것이다.

♟

너의 그 뻔히 보이는 강한 척이,

나는 참 우프다고 생각했다.

어떻게든 내 기분을 조금이라도 좋게 해줘 보겠다며,

아무렇지 않은 척하는 것이 사실은 진실이야.

너는 참, 강하거든.

기억이 없는 사람만큼, 강한 사람은 없다 생각해.

저녁의 고요함에,

선은 함께 숨을 죽였다.

눈을 뜨면, 어둠이 가신다.

선은 눈을 뜨지 못했다.

고요함을 마주 보지 못하고,

죽은 악을 마주 보고 싶지 않았다.

악의 죽어가는 목소리에, 선은 반사적으로 눈을 떴다.

암막 커튼을 쳐둔 창문 틈새로는 하얀 빛이 새어 나와,

죽어가는 악의 눈을 부시게 하였다.

선은 그 모습을 바라만 보고 있을 순 없었다.

선은 탄식을 내뱉으며, 불규칙한 호흡을 유지하고서,

악의 눈 위를 가려주었다.

악의 죽음을 눈에 담고 싶지 않음에도,

선은 악의 죽음을 담을 수밖에 없었다.

♟

"왜 매번 같은 곳을 찍어?"

"어차피 똑같을 거 아니야.

여긴 사람도 잘 안 다니니까 말이야."

"기억하고 싶어서 찍을 뿐이야."

"기억력도 좋으면서 무슨-."

"어차피 매일 똑같을 텐데…. 한 장을 돌려 보지 않고?"

나는 꽤 고민했다. 이게 뭐라고 고민하는지도 모르겠다.

그렇게 말이야, 선. 나는 왜 사진을 찍을까.

"그날의 감정도, 찍고 싶은 분위기도 달라지니까."

"풍경을 기록한다기보다는, 그날의 나를 기록하는 거야."

뭐, 죽을 때는 모두 태울 거지만.

과거는, 추억하지 않기로 했으니까.

♟

여름은 아름답다.

어두운 이에게 빛을 내리쬐주고,

선 같은 빛이 길어진다.

나 같은 저녁은 잠시 빛이 부족한 그것들을 위하여서,

한동안 자신을 줄여 그들을 행복하게 만든다.

선은 아름답다.

여름은 아름답다.

그들은 아름답다.

나를 제외하고 돌아가는 세상은,

참 아름답다.

♟

너는 기억 못 하겠지만,

나는 모든 것을 기억한다.

너는 영원히 모르겠지.

너의 전생의 기억이 없음에는,

나의 영향이라는걸.

미련한 선.

네가 항상 내 물건, 사해, 그러니 '나'라는 존재를 단 한 번
도 태운 적 없다는 걸 난 알고 있어.

너는 바보 같을 정도로 미련하거든.

아마 내가 기억을 잊을 일은,

단 한 순간도 없을 거야.

미련한 선. 내가 지켜줄게.

♛

은은한 달빛 정도가 들어올 시간.

악은 선에게 다가가 선의 머리칼을 조금 들어,

자신의 코에 가져다 대었다.

'다행이다, 피 냄새가 옅어….'

선의 기억에 대하여 확인하는 것이었다.

매일 밤 새벽, 세계의 오류로 인한,

선의 정신의 오류를 방지하려 하는 거다.

♟

눈을 떠보니 나는 중간 정도의 사이즈의 밧줄 위로 올라와 있었다. 끝도 보이지 않는 밧줄의 앞인지 뒤인지도 모르는 방향으로 계속하여 걸었다. 한 번 삐끗했다가는 바닥으로 떨어져 죽을 것이다. 그렇다고 멈춰있더라도 떨어지기 마련이다. 뒤로 가기에는 길이 사라져 늦어버렸고, 떨어질 수 있는 것을 알고 있음에도 앞으로 갈 수밖에 없었다. 그리하여 계속하여 걸었다. 걷고. 걷고. 걷고. 걷고 걷고 걷고 걷고 걷고 걷고 걷고…‥.

아, 끝이 보이지 않는다.

'생'이 너무 길다.

♟

우리는 서로를 사랑하기 때문에, 연애 같은 짓을 해서는 안
된다. 우리는 서로를 좋아하기에 서로에게 사랑한다느니, 좋
다느니 같은 사랑을 전해서는 안 된다.

우리는 서로를 그저 같은 처지로서 기댈 수 있는 관계.

그 이상도 이하도 아니어야만 한다.

우리는 사랑해서는 안 된다.

우리에게 사랑은, 죄이다.

어디서 주워들은 건데,

편히 대화하는데 따뜻한 음료를 주고서

대화하면 훨씬 효과가 좋대.

차갑지도 않고, 얼음이 다 녹아 밋밋하고 미지근해진 것도
아니고, 막 나와 뜨거운 것도 아닌 따뜻한 음료 말이야.

분위기가 함께 따뜻해지는 느낌 이라나 봐~.

조금 모순되지 않았을까?

사랑한다면, 좋아한다면,

그 무엇을 줘도 난 행복할 거야.

너라면 해가 쨍한 여름의 상오 때,

뜨거운 음료를 건네도 좋아.

흰 눈이 세상을 백으로 채운 추운 겨울에

내게 차디찬 음료를 건네도 좋아.

아무것도 주지 않아도 괜찮아.

뭘 하든 결국 나를 생각했을 거라 믿으니까.

♟

바닷물이 발에 닿으니 차가움이 느껴졌다.

모래사장을 밟으니, 발자국이 새겨졌다.

내 발자취를 바닷물을 지워갔다.

내가 어디에서 왔는지조차 모르게.

세상의 이치다. 당연한 것이다.

나는 당연함을 행동한다.

그들과 다를 바 없고 싶었다.

나도 죽음을 두려워하고, 처음을 생각하며, 운명 따위를 믿고, 작은 일에 기뻐하며, 필연을 부정하고, 우연을 믿으며 그렇게 살아가고 싶다.

나는 그런 당연함인 세상의 이치에서 동떨어진 존재다.

나는 그들처럼 살아갈 수 없다.

왜냐? 나에겐 죽음이란 것이 정확히 없다.

끝없는 순환의 반복은 알고 있는 사실이다.

그 사실을 망각하면 편하겠다만. 망각은 신이 주는 선물 이
랬나. 나는 아무래도 사랑받긴 글렀나 보다.

꿈을 꿨다. 무언가 엄청나게 긴 꿈을 말이다. 꿈에서의 나는 내가 아니었다. 삶의 의지가 있었다?라고 칭하기에는 조금은 거리가 멀었다. 남들처럼 목숨을 부지하려 애썼다에 가까웠을지도 모른다. 나야 지금은, 악의 말대로라면 당장 지금 죽는다 하더라도, 다음 생이 있고, 또 다음 생이 있으니 그리 무섭진 않았다. 이게 죽음에 대한 망각에 무서움인가.

꿈이 아니다. 주마등이다. 나는 목숨을 부지하려 항상 애썼다. 지금 죽음의 감각을 느끼는 것이 무서워 거짓말해봤다. 무섭다. 죽음이 두렵다. 다음 생이 있다고 한들, 삶의 끝이 두렵지 않다 해서, 고통이란 것을 망각한 건 아니다.

살고 싶다. 죽고 싶지 않다. 아프고 싶지 않다.

나도 남들과 결국은 같았다. 고통을 느끼니 죽고 싶지 않아 몸부림치게 된다.

죽음의 감각이 무섭다. 숨쉬기가 힘들어진다. 호흡이 무거워지고, 그 한 번 겨우 내뱉는 호흡조차도 정신을 아프게 한다.

나도 남들과 다를 바 없다. 이 고통을 계속하여 느끼라고? 다음 생에 태어나면 또 이 고통을 언젠가 느끼겠지. 질리도록 반복하지만, 고통에 익숙해질 날이 오긴 할까? 우리 들이 항상 같은 고통만을 느끼며 죽느냐도 아닌데. 나는 얼마나 이 고통을 끊임없이 느껴야 하지?

다음 생에 또다시 태어난다면 이 고통을 잊고 싶다.

차라리 다시 시작한다면 낫지 않을까.

그렇다고 잊고 싶은 것은 아니다. 나에게 얼마나 상냥했었는가. 어떻게 설명하냐니. 멍청한 질문이다. 지금도 죽어가는 나를 끌어안고서, 저렇게 슬프게 울고 있지 않은가.

마음에도 없는 이에게 저런 눈을 하고서 바라보며 아무 말 못 하는 것을 있을 수 없는 일이다.

무언가 소리가 들렸던 거 같은데.

귀가 점점 멀으니 들리지, 악의 목소리보다는 이명이 들린다. 잡음과 악의 목소리가 섞여들어온다.

잘 들리지 않는다.

악이라면, 따뜻한 말을 해주지 않았을까.

♟

창문을 여니 바람이 나에게 안겨왔습니다.

커튼을 치니 저는 암흑에 서있었습니다.

바람에 커튼과 제 머리칼이 휘날렸습니다.

제 눈에는 아마, 제가 보고 있는 저 달이 비춰졌겠지요.

이 광활한 하늘을 보잘것없는 제 눈에 담을 수 있습니다.

제가 제 눈을 볼 수 있으리란 없겠지요.

나의 세상을, 남의 시선으로 보기란 어렵겠지요.

이 하늘을 담은 제 눈을.

세상을 바라보는 제 눈을.

악을 바라보는 제 눈을.

저는 결코 볼 수 없겠지요.

♟

악과 조금 더 평범하게 만났다면 어땠을까.

같은 상황에 처해서 서로를 의지해야 하기에

사랑하면 안 되는 게 암묵적인 건 알아.

그래서 한 번씩 생각해 봐.

우리가 조금 더 평범하게 만났다면 어땠을까.

평범하게 사랑할 수 있었을지도 모르잖아.

♟

우리는 무엇이 문제였을까.

내가 너에게 구원(舊怨)을 품었기 때문일까.

내가 너를 구원(救援) 한 것이었을까.

우리가 죄를 구원(久遠) 하려 해서일까.

우리가 죄를 짓고 구원(丘園)에 있길 바랐기 때문일까.

우리가 구원(九原)이 있다고 믿어서일까.

우리가 서로의 구세주가 되려는

욕심을 부려서일까.

♙ ♟

악이 나에게 '싫어한다.'라는 말과 함께,

문을 닫고 밖으로 나가버렸다.

뭐랄까, 심장과 뇌가 아파왔다.

구석구석, 단 한 군데도 빠지지 않고서.

무언가, 삶의 이유를 부정당한 기분이었다.

내 삶의 이유가 나를 싫어한다.

나도 나를 싫어해야 할까?

돌아오겠지.

돌아올 거야.

그럴 거야. 올 거야.

조금만 더 기다려보면.

조금만, 조금만 더.

조금만….

뭔가 잘못됐단 걸 느끼기 전까지도,

너는 오지 않았다.

나간 후에 그대로 쓰러져서는,

3일 만에 집에 돌아왔을 때였다.

"우윽."

문을 열자 지독한 악취가 풍겨옴에, 나도 모르게 헛구역질
까지 났었다.

"선…?"

기척이 느껴지지 않았다.

그렇다면 내 앞에 있는 저 무언가의 벽에 기대어 웅크려 있
는 형태는 무엇인가.

'역시 이번에도 불안정했구나.'

이 생각뿐이었다.

♟

나는 죽음이 두렵지는 않았다.

당연하다. 나는 죽음의 끝을 알고 있으니까.

그것들은 죽음의 다음을 모른다.

죽음의 다음이란 미지의 세계.

나는 그런 미지의 세계조차도 없다.

알 수 없는 것만큼 무서운 게 없었다.

아는 것만큼 무서운 게 없었다.

무서운 것들 투성이인 세상.

나는 무서울 수 없었다.

그래선 안됐으니까.

♛

선과 악의 팔에 있는,

그들의 아픔의 흉터.

04:00 am

악은 선의 아픔을 보고서 슬퍼한다.

04:00 pm

선은 악의 아픔을 보고서 슬퍼한다.

04:00

자신의 아픔에 감흥은 사라졌다.

♟

행복한 언어를 듣고 자란 이는, 행복함을 전해줄 수 있게 되었답니다. 선물을 받은 이는, 누군가에게 선물을 주는 이가 되었답니다. 모두의 격려를 듣고 자란 이는, 그들의 격려의 힘입어 결과로 보답할 수 있는 박수 받을 만한 이가 되었답니다. 평범한 곳에서 자란 이는, 더 나아간 이가 되어, 또 다른 평범한 곳을 꾸렸답니다. 그들의 행복 속에서 살아온 이는, 그들처럼 살아갔답니다. 주변에 그들을 두기를 좋아하던 아이는, 누군가의 곁을 지켜 줄 수 있는 이가 되었답니다. 의문을 품지 않은 채 살아간 이는, 멀쩡하게 그들에게 섞여 살아갔답니다. 죽음이 있으며, 다음 생의 존재를 모르는 그들은, 한 번뿐이라며 즐기고, 죽음을 두려워하며 지금을 즐겨가며 행복하게 이기적이게 산며 남들을 없애가고 자신의 이익을 충족 시키려 살생을 저지르며 살아갔답니다. 참 동화 같은, 아름다운 일이죠?

행복한 언어를 듣고 자란 저는, 그것들과 함께 익숙한 듯 익살을 떨 수 있게 되었습니다. 선물을 받은 저는, 그들의 눈 뒤에 생각이 보였습니다. 모두의 격려를 들어본 저는, 압박감에 짓눌려 쫓기고, 그들의 시선을 피해 가며 살아갔습니다. 평범한 곳에서 왜 그러냐는 말을 들은 저는, 평범하다에 대해서 무엇인가 의문이 들기 시작했습니다. 아, 해답은 찾지 못했습니다. 저는 그들의 행복해서 살았지만, 그 행복의 뒷면을 알고 있기 때문에, 그들과 다르게 살았습니다. 주변에 그들이 다가오는 것이 두려운 저는, 그들을 피해 선과 살고 있답니다. 이래 봬도 꽤 행복하답니다. 의문을 품은 저는, 금세 그들에게서 이상한 이가 되어 소외되었답니다. 죽음이란 안식이 없는 저는, 다음 생의 존재를 아는 저는, 죽음의 문턱에서 느껴지는 고통만을 두려워하며 살고 있답니다.

당신도 제가, 이상해 보이나요?

무료할 만한 삶에 꿈이 생겼다. 거창한 꿈은 아니다. 그저 나와 같은 감정을 알고 있는 이들을 도와주고 싶다는 것뿐. 하지만 나는 이루긴 어려웠다. 아마 누구라도 이루기 어려울 것이다. 당장 내 옆에 있는 악의 마음조차도 나와는 다르기에 그 감정을 알 것을 앎에도 나는 도와줄 수 없다. 무력을 느끼고 꿈은 금세 현실을 봐 접어갔다. 오히려 항상 내가 악에게 위로를 받는 꼴이었다. 나는 그런 악에게 고맙다고 말하며 악이라면 가능할지도 모르겠다는 생각을 할 뿐이었다.

나는 거창한 꿈을 꾸는 것 말고,

달리 무엇을 할 수 있는가.

선은 모를 것이다.

내가 선에게 하는 말이, 내게 해주고 싶던 것들이었다는걸. 불쌍한 나에게 해주기에는, 너무나 따뜻한 것들이다. 나는 그런 것들을 누리기에는, 너무나 죄가 많으니까. 내겐 미쳐 하지 못했던 것들을, 나와 같은 것을 알고 있을, 깨끗한 선에게 해주는 거다. 그 무엇도 모른 채 꽃밭에 사는 순수한 아이와 말하는 것은, 그것만으로도 위로가 된다. 미약하지만 따스한 빛이다.

♕

"욱-"

악은 욱하는 소리를 내며 욕실로 달려가 자신의 손가락을 입 깊숙이 넣어 방금까지 자신이 마시던 차를 토해내었다. 욕실에 주저앉아 힘들어하는 악을 보고 선은 놀라며 들고 있던 칼을 내려두고서 주방에서 나와 악에게 다가갔다.

"왜 그래 악? 무슨 일 있어?

"차에 벌레, 가…. 죽어있어서…. 윽-."

선은 입을 헹구고서 벽을 짚고 나오려는 악에게 담요를 가져와 어깨에 걸쳐주며 소파까지 부축해 주었다.

'분명 건네줄 때 확인도 했는데….' 선은 이런저런 생각을 하며 악이 마시던 찻잔을 살폈다.

'…. 없어. 아무것도….'

선이 확인한 악의 찻잔에는 그 무엇도 없었다. 자신이 처음 줬을 때와 달라진 것은 양뿐, 그 무엇도 다르지 않았다.

'…. 악이 발견한 걸 보면 마신 건 아니니까 잔에 그대로 있어야 하는데. 악이 잘 못 본 걸까?'

"악, 혹시 무슨 벌레였어?"

악은 무언가를 개미'때'라고 칭하였다. 담요를 꼭 쥐고 있는 악의 손이 떨렸다. 선은 깨달았다. 악이 환각을 본 거라고. 그렇지만 선은 이 사실을 악에게 말하지 않았다. 악이 눈치채지 못하도록 어색한 연기를 하며 상황을 넘겼다. 평소라면 들켰을 연기였지만, 악은 현제 다른 무언가를 신경 쓸 겨를 같은 것은 없기에 눈치채지 못했다.

"내가 미처 확인을 못 했나 봐. 다시 타 줄게. 차 말고 우유라도 데워줄까? 진정하고 자는 게 좋을 거 같아."

악은 입술을 바들바들 떨어, 결국 소리 내어 답하지 못하고 고개만 끄덕거렸다.

이후로도 악은 계속하여 환각을 보았고, 악은 찻잔에는 사실 벌레가 없었다는 것을, 선이 자신에게 거짓을 고하였다는 것을 알았다. 이후에 슬며시 물어본 선의 질문에 악은 선에게 사실을 숨겨갔다. 자신의 정신의 문제라는 것을 인지한 것이다. 악은 괜한 선의 걱정을 불러일으키고 싶지 않았기에, '그때 헛것을 봤었나 봐'라며 대수롭지 않은 듯이 넘겼다.

"요즘은 괜찮아? 헛것이 보인다거나…. 그런 거…."

"그때 몸이 안 좋았나 봐. 요새는 멀쩡하니 괜찮아."

"그럼 다행이네!"

악은, 선이 단순하다고 생각하며 웃고 넘겼다.

♟

요새 환각을 보는 횟수가 늘었다.

처음부터 환각을 본 것은 아니고, 지독하리만큼 깊숙한 악몽에서 시작하여, 서서히 일상까지 이어지게 되었다.

그들의 눈초리와, 검은 벌레, 개미와 거미 같은 것들이 하나씩 보이기 시작하더니 어쩌다 한 번은, 갑자기 그것들이 늘어나 내 발부터 서서히 기어올라와 나를 빛이라고는 찾아볼 수 없는 검정색의 늪덩이로 나를 집어삼켰다. 꿈이었다면 또 악몽으로 넘겼을 테지만, 이건 분명한 환각이었다. 손톱으로 나의 살을 지그시 누르자 고통이 느껴졌다. 분명한 현실이었던 것이다. 지속되었다가는 결국 내가 내 눈을 찌르는 날이 올지도 모르겠다는 생각이 들었다. 절망적이다. 이 것들은 사라질 새를 보이지 않고, 나의 얼굴 측까지 그 소름 돋는 말들을 내디디며 기어올라와 내 눈앞까지 모든 것을 삼킬 것이다.

내 얼굴 측까지 모두 도착한다면 그들은 곳곳에서 내 살갗을 파고, 눈알의 표면을 이리저리 돌아다니다가 코와 입과 귀에도 자신들의 소름 돋는 발자취를 남기면서 내 몸 깊숙이 들어가 결국 뇌에 다다라 나도 그것들과 다를 바 없는 존재가 되는 않을까. 그것들이 나를 삼키려 한다. 나는 그것들에게서 도망치기엔 늦은 거 같다. 선이라도 지키려 한다. 그럼 선을 사랑하는 그것의 눈에 조금이라도 들어가 나도 이것들에게서 벗어날 수 있지 않을까. 확실한 방도를 찾을 때까지는, 선에게도 절대적인 비밀인 것이다.

"일어났어?"

악은 선이 일어날 것을 다 알고 있었다는 듯이, 갓 데워진 따뜻한 라떼를 가지고 소파에서 엉기적 거리는 선에게로 다가갔다.

"왜 그리 한숨이야."

"내가 한심해서어- 힝."

선은 악이 건네준 라떼를 홀짝이며 자신의 옆에 앉은 악의 어깨에 머리를 기대었다.

"뭐가 그렇게 한심해?"

"그냥 내가 너무…. 말도 안 되는 걸 꿈꾸면서 살고 있는 거 같아서. 뭔지는 비밀이야."

"그게 문제가 되나?"

"응? 당연한 거 아니야?"

"말도 안 되는 이상을 꿈꾼다라…."

"나는 괜찮다고 봐. 너무 그 이상만을 쫓아가다가는 허구에 빠져 허우적거릴지도 모르지만, 때로는 그게 살아가는 이유가 되기도 하니까 말이야…."

"너무 낙심하진 마."

"아직 잠이 덜 깼네. 조금만 더 자-"

"으응…."

♛

악은 매일 아침, 째여오는 산록과 바람에 몸을 맡기고서, 선이 깨어나기만을 어딘가에 있을 무엇의 존재에게 기도했다.

선은 의식 없이 살아있는 게 맞나 싶을 정도로 고요히 병원에 누워 눈만 감고 있다.

그날은 다를 때보다 조금 더 소란스러웠다.

악은 모르겠으나, 정확히 말하자면 소란스러운 곳으로 옮겨졌다가 맞다.

밖에서 악을 지켜보던 이들이 혀를 찼다.

"봐봐, 가망이 없는 자를 잡고 있던 최후 좀."

"기다리는 분만 안타깝지."

악은 이런 이들의 말을 가볍게 무시하고, 눈을 감고서 누워 있는 선의 머리칼을 귀 뒤로 조심스레 넘겨 정리해 주며 듣지 못할 선에게 말을 전했다.

"오늘따라 병실 밖이 유난히 시끄럽네."

"그냥 조금 오래 잠들었을 뿐인데."

영안실의 망령들은,

그들을 보며 안쓰럽다며 몸을 떨었다.

♛

"우리들의 심장에선, 노래가 들려."

"긴장되는 배경음에 강조되는 가사와 어딘가 우중충한 멜로디에 행복한 가사. 파도 소리의 청량한 음악감에 뒤이어 가사 없는 적막 같은 게 들리거든."

"왜냐고?"

"지금의 넌 죄책감을 느끼는 평범하게 살생을 벌인 자, 그러니 말해보자면 엄연히 다른 종족이지만, 범인(凡人) 같은 상태거든."

그리고선 악은, 방황하는 선을 안아주며,

눈물을 떨치고 있는 선을 태웠다.

♟

긴 겨울날, 상오 때 즈음에 한 대화였다.

우리는 따뜻한 코코아 한 잔씩을 손에 들고서, 서로를 보고 실없는 이야기를 주고받던 때였다.

"여름이 빨리 왔으면 좋겠어."

선은 이런 말을 한 나를 보고는 물음표가 그려진 표정을 지었다.

"왜? 추운 게 싫어서라면, 봄도 있고…. 가을도 있고…."

"그냥. 여름 한낮에 떠있는 구름이 보고 싶어."

선은 내 말을 들으며 나 같은 이유라며 웃어댔다. 우리는 어쩜 이런 점도 정 반대인 걸까. 너는 그런 나에게 자신은 겨울날의 구름이 좋다고 하며 이유를 설명했다.

"보통 겨울에는 구름이 길잖아?"

"……."

"그런 구름이라면, 내가 어디든 갈 수 있을 거란 생각이 들어. 어디로든 구름을 타고 떠날 수 있을 거 같아."

이유까지도 이리 다를 수 있을까. 어디로든 떠나고 싶다라. 그래, 나도 똑같이 생각한다. 딱 선이 할 만한 생각에 이유였다. 여행이 가고 싶다며 내려앉은 흰 눈처럼 순수한 웃음을 지으며 내게 이유를 묻는 너에게 나는 어디로든 가지 않기로 했다고, 저 구름이라면 날 숨길 수 있을 거라고 같은 내 솔직한 이유를 말할 수는 없었다. 나는 그냥, 어느 때처럼 평범한 이유를 대고 웃어넘기면 되는 거다.

"그냥 사진 찍었을 때 그쪽이 더 예쁘거든."

선은 웃었다. 나 또한 선을 따라 웃었다.

♛

악의 본질이 더욱 천하기 때문인가,

선의 본질이 고귀해졌기 때문인가.

♟ ♙

멍하니 무지개를 응시하던 선에게 악이 다가가 물었다.

"뭐가 마음에 안 들어?"

어제까지만 하더라도 활발하기만 하던 선이 한껏 가라앉은 어조로 나지막이 한 답은 짧은 단답이었다.

"응." 이 한마디 후 정적이 돌았다.

악은 정적 속에서 벤치에 앉아 있는 선의 옆자리에 앉았고 짜기라도 했다는 듯 선은 곧장 악의 어깨에 자신의 머리를 기대었다.

한참의 정적.

선은 자신의 입을 벌렸다, 모았다를 한동안 반복하다 눈물을 흘리며 겨우겨우 입을 열었다.

"그거 알아? 우린 이제 끝이야. 순환이 끊어졌어."

선이 우는 것에 대해서는 악은 아무런 말도 하지 않아주었고, 선의 시선 끝의 무지개를 함께 바라보았다.

"몰랐네. 마지막이라니."

악의 목소리에서 마지막이라는 단어가 나옴에 선은 다시 눈물을 흘렸다. 선의 눈물이 멎을 때까지, 또다시 침묵이었다.

"무지개는 둥글어. 죽으면 무지개다리를 건넌다고 해. 그래서 우리는 삶을 계속하여 거듭한 거야."

무언가 알고 있다는 듯한 악의 투에 선이 곧장 말을 이었다.

"왜 우리만 그런 거야? 왜 하필 우리가 이어진 거야?"

선의 물음에 악이 침묵했다. 선은 자신의 마음을 애써 누르며 악을 추궁하지는 않았다.

악은 선에게 약을 건넸고, 선은 약에 대해서는 묻지 않고, 조용히 건네 받아 입에 넣어 삼켰다.

약효가 돌아, 둘의 정신이 몽롱해졌을 때였다. 침묵하던 악이, 진실에 대하여 말을 꺼냈다.

"우리는 말이야, 죄를 지었어. 조금 많이 큰 죄를 말이야. 그게 삶을 거듭하던 이유고, 우리가 이어진 것은 나의 죄야."

"넌 기억도 나지 않을 첫 번째 생. 그때의 우리는, 아니다 나는 죄. 그 자체였으니까."

"이번 생이 마지막인 이유는, 우리의 죄의 무게, 그러니까 피해자들의 생까지 다 살았거든. 그래서 마지막인 거야."

"비밀이었는데, 너는 이번이 2번째 생으로 느껴지겠지만….

사실은 우린, 몇 백 년을 살고 있어."

"내가 너의 기억을 항상 지웠어. 너는 미련하게도, 항상 나를 남겼고. 내가 너에게 한 말, 몇 백 번을 반복했거든. 이제는 말할 수 있게 되었네."

악의 말이 끝나고도 선의 대답은 돌아오지 않았다.

"나는 아직 죄를 다 만회하지 못했어."

"나는 너도, 나조차도 죽였고, 너는 기억 못 하겠지만, 나는 죄짓기를 멈추지 못했어."

"미안해하지는 않아도 돼. 네 기억을 지운 건 내 선택이었으니까. 단지 네가 아프지 않았으면 해서 한 선택이었어. 그러니 진실을 알고도 아프지는 안아줬으면 해."

오늘은 비로소 행복을 찾길 빌어줄게.

오늘은 네가, 인간이 되어 꿈을 꾸기를.

무한한 죽음의 삶을 지루해하는 게 아닌,

유한한 죽음이 있는 삶을 즐길 수 있기를.

잘 자, 선-.

바다 속, 해파리 한 마리.

해파리는 더 이상 어항에 갇혀있지 않는다.

어항은 떠나갔고, 그는 자신이 갇히기를 자처했던 어항에서
비로소 탈출할 수 있었다.

바다로 나가, 이제는

다시 혼자가 되기로.

악은 카메라를 들고서,

선이 없는 그곳을,

선의 공허가 느껴지는 그곳을

카메라에 조심스레 담았다.

'아. 이제 사진에는 나도, 선도 없구나.'

찰칵-.

어깨가 무거워지는 셔터 음을 냈다.

곧장 나온 사진을 악은 바로 그 자리에서 찢어버렸다.

악은 다짐했다.

선의 공허를 느끼지 않기로.

♟

누군지 모를 당신에게.

읽어질지도 모르겠지만 편지를 써봅니다. 저 또한 이번이
마지막 생입니다. 드디어 기나긴 생을 정말로 끝마치고서,
선을 보러 갈 수 있게 되었죠. 이제서야 저는 알았습니다.
아무래도 선이 마지막으로 떠난 날에, 모든 기억이 돌아왔
던 거 같아요. 마지막에 한 저의 진실의 고백을, 들었을지는
모르겠습니다. 돌이켜 생각해 본다면, 절대 고하지 않을 것
이라고 했는데 말해버렸었군요. 선의 기억이 정말 돌아왔었
다면, 저는 제 잘못을 말한 것에 후회가 없을 테지만, 선의
기억이 그대로 없었다면, 마지막에 가는 선의 마음을 불편
하게 한 것 같아 후회가 남을지도 모르겠습니다. 이제서야
제가 정말로 떠나 선을 만난다면, 이 물음을 해결할 수 있겠
죠. 선의 얼굴을 보고 저 말이 입에서 나올지는 잘 모르겠습
니다. 어쩌면 선이 절 만나길 거부할지도 모르겠어요.

그러더래도 괜찮습니다. 선과 만날지도 모른다는 희망을 잡고 선을 기다리는 것보다는 괜찮을지도 모르니까요. 제가 거절당한 사실을 버틸 수 있을 거란 확신은 없지만 말입니다. 이제는 조금 솔직해져도 될 거 같아요. 이 글을 읽을 사람은 없을 수도 있고, 읽는다 하더라도 제가 사라지고 한참 후이겠지요. 저는 이 글을 써, 저 바다로 흘려보낼 겁니다. 유리병에 넣어서 보낸다니, 낭만 있죠? 참 선이 좋아할 거 같아요. 해파리와 함께하다 심해로 가라앉았으면 하는 제 바람이 이루어 질지는 모르겠어요. 저는 사실 처음에 선이 무척이나 싫었습니다. 죄책감 하나 느끼지 않고, 아무렇게나 자신의 행복을 위해 행동하는 게 어리석게 보였거든요. 돌이켜 생각해 보니 딱히 사랑이라 칭할만한 감정을 느꼈었나 잘 모르겠어요. 안타까움에 일어난 동정심에 가까웠던 거 같아요. 어쩌면 신은 선이 아니라 저를 사랑했을지도 몰라요. 선은 그것의 망할 사랑 때문에 자신을 잃었으니까요.

죽을 때가 되니 웃음이 나오네요. 지금이라면 그 어느 때보다도 크게 웃을 수 있을 거 같은데, 가장 크게 울 수도 있을 거 같아요. 그렇게 기다리던 끝이었는데, 막상 다가오니 두려워요. …. 같은 말을 하리라 예상하셨나요? 안타깝게도 저는 전혀 두렵지 않아요. 매일을 꿈꿨는걸요. 드디어 찾아온, 영원한 안식이에요. 이제는 이 모든 생각을 멈출 수 있어요.

해파리가 저를 반겨줘요.

환각일까요, 진짜일까요.

사실은 선이 떠나고부터 항상 제 곁에 있었어요.

이제는 따라가도 될 거 같아요.

읽어주셔서 감사합니다, 존재 유무도 모를 당신.

작은 어항, 해파리 한 마리.　141

작가의 말.

  어느새 두 번째 책을 출판하게 되었습니다. 처음 소설을 쓰고 싶다 생각했을 때는, 순수한 사랑을 소재로 쓰고 싶었습니다. 다시 생각해 보니, 순수한 사랑이란 걸 믿지 않는 자가 쓰기란 무리일 거 같다는 생각이 들더군요. 이 소설에 원래, 살생에 관한 소재는 넣을 생각이 없었습니다. 아무래도 내용을 읽어보셨다면 보이 듯, 살생에 어쩔 수 없었다는 이유로 미화가 돼가고 있었으니까요. 글을 쓰고서 큰 수정 과정을 한 번 걸쳤습니다.

  선과 악은 인간이 아닙니다. 이들이 살아가는 세계는 저희들이 아는 그런 지구가 아닌 것이죠. 그리하여 평소에는 조금 생소한 단어들이 작에 많이 들어가게 되었습니다. 사람들이라 칭할 것을, 그것들이라 칭하고, 살인, 시체 같은 단어들은 대거 수정했죠.

  이들이 과연 행복해질지는 알 수 없습니다. 죽은 후에 그들에게서는 생각이란 것이 사라지고 망각하여 모든 것을 잃고 서 인간이 되어 저희들처럼 살아갈지고, 서로를 만났을지도, 악의 생각대로 선이 그를 피할지도 모르죠. 뒷이야기는 여 러분의 상상에 맡기겠습니다.

언젠간 또 다른 책에서 뵐 수 있으면 좋겠습니다.

감사합니다.